By **Flora McCleuch**
Illustrated by **Jane Cornwell**

A CIP record of this book is available from the British Library.

Paperback ISBN 978-1-913237-16-5

First published in the UK in 2020
by **The Wee Book Company Ltd.**

Printed and bound by Bell & Bain Ltd, Glasgow.

Coorie
Wee A
Gettin H
Yer A

in... The
tae Z o'
appy in
n Hame

Aye! Hame's the only place tae be
when a'hing's upside doon
park doon wi a cup o tea
nae need tae hoof aroond
jist settle doon in yer wee hoose
coorie in an feel cocooned
nae need tae flee a' fast an loose
an run aroond the toun
jist park yersel where ye feel safe
an warm an cosy tae
fur yer ain walls will keep ye
hale an hearty ivry day.

It's said tha Highland fowk live in wild open spaces
wi fresh fresh air, an e'en fresher red faces
wi endless blue lochs an mysterious monsters
an braw skirlin bagpipes an sweet gaelic songsters
but o' a' the hunners o Highland delights
bidin hame in yer ain wee bothy
is the wan sure tae set the heather alight.

Airiep
ahright
w'rang
nice
Baltic

Airieplane
Am ah right am ah wrang?
Aw the nice!
Wha are ye After?

Bahookie
Baltic
Bonnie
Braw

Coorie

Tae coorie in, it's a verb a richt
but jist wha does it mean?
Books say cuddlin, snugglin, cosy an tight
an a'hing in between
but really it's an auld Scots wurd
fur love tha's strong an true
tae hold ye safe an warm in arms
tha reach oot jist fur YOU.

the very Dab

Is there a'hing mair braw oan a cauld wet nicht
than yer sauft chair by the fire?
Is there a'hing mair braw oan a sunny day
than yer garden tae admire?
Is there a'hing better in this hale wurld
tae be hame, content an true?
Aye, it's the very dab an tha's fur sure
yer hame, it's there fur YOU.

Canny
Couthie
ya Dan
Doola
ich Dr

Canny
Clarty
Couthie
Crabbit

ya Dancer!
Doolally
Dreich
Drookit

Dinna be an eejit
dinna be a clown
dinna paint a smile oan
if a' times ye feel richt down.
A' hame jist be yer ain sel
ye dinnae huv tae hide
a' hame jist let yer tears flow
an ken tha ye can bide
inside as lang as ye need tae
til yer smile it reappears
an ye can step oot wance agin
an shout tae a'body, 'CHEERS!'

Feartie

Naebody called us Scots 'fearties'
an lived tae tell the tale
naebody looked us in the e'en
an said we werenae hearty an hale
cos y'see we'd straight awa
gie em a piece o wur minds!
It's no tha we're aggressive
it's no tha we're no kind
it's jist we ken wur ain sel's
we ken we're strong an brave
y'see, there's naebody quite lik us
strength lives oan in us frae Bruce's cave.

Eachyp

Fizzer

Eachy peachy
Easy peasy
Eejit
Eh?

Fankle
Fizzer
Fleein
Frontyways

Granny

Nothin quite says hame
lik the smell o' Granny's cookin
an nothin warms the heart sae much
as lickin the spoon when she's nae lookin
fur it's senses tha mak yer heart swell
the smells an tastes o hame
the sight o sumwan ye dearly love
the sound when they cry yer name
riches are no spondoolicks or siller
they're nae fancies made o' gold
they're timeless, ageless, furiver
they're pure love tha nivver gets old.

High Heid Yin

Hame's the place where ye're the laird
o' a tha ye survey
frae the kitchen tae the sofa
wha surroonds ye ivry day
is yours an yours alain
tae dae wi as ye please
tae dae a bit o yoga
or meditation oan yer knees
fur ye're the big High Heid Yin
ye're yer ain muckle great boss
an if ye want tae lie in yer sratcher
then sure tha's nae great loss!

Gallus
in.Gret
ties Ha
naw Ha
Hunne

Gallus
Gowpin
Greetin
Gutties

Hauf
Hee haw
Hoachin
Hunners

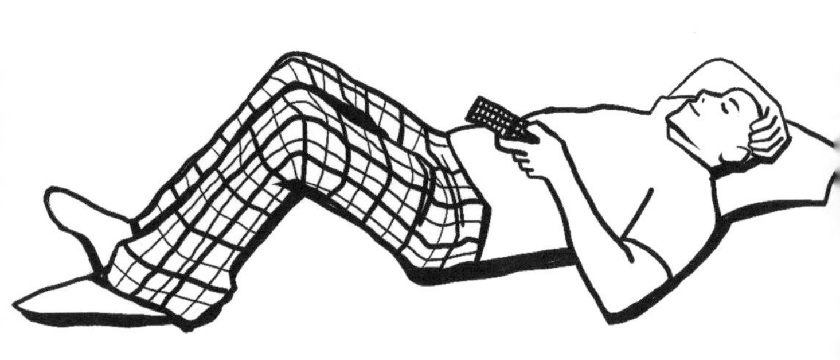

Idledonian

So wha if ye want a long lie?
So wha if ye want tae dae nothin?
Ye dinnae huv tae explain why
ye dinnae huv tae leap aboot
an get yer heart pumpin
ye can be an Idledonian
so dinnae huv an attack o the guilts
jist let the hoosewurk go hang
while ye lie back oan yer quilts
an watch guid stuff oan the telly
an listen tae music fur hours an hours
so wha if yer socks are a bit smelly?
Cover em up wi hunners o flowers!

Jammies

The thing aboot tha online malarkey
means tha you can jist go zoomin
nae need tae glam up fur a party
nae need fur a' tha groomin
jist get dressed frae yer bottom up
an sit cosy in yer jammies
wi some fine hot tea in a china cup
an a muckle great plate o' sarnies.

The auld wans are the best
an tae hang wi a' the rest
so wi deep respect here it goes
cos wur history means so much
mair than we'll iver know ...

Kilty, kilty cauld bum
Three sterrs up.
The wummin in the tap flair
Hit me wi' a cup!

Ma heid's a' bleedin',
Ma face is a' cut –
Kilty, kilty cauld bum,
Three sterrs up!

Laldie

Late when naewan's lookin
an ye've lang since jacked in cookin
ye've scoofed doon a' yer dinner
an ye're sittin in yer kitchen
ye turn up yer wee wireless
an ye start twirlin an jiggin
wi a wee dram in yer haund
ye go a' sleekit an start swiggin
ye can dance up a whole storm
aye, jist ye gie it laldie
wi naewan else aroond
ye can squeal, 'it's Twinkletoes they cry me!'

Keek
ie-uppi
s-Kitha
Letthe
Loopd

Keek
Keepie-uppie
Kegs
Kith an kin

Let the bull see the coo!
Loop de loop
Lorne sausage
Loupin

Midden

They say she keeps a dirty hoose
they say she's a maukit midden
but who cares when she smiles a day
an a'body's happy tae dae her biddin?
Fur she's a wee wummin wi a big braw heart
am nae afraid o' nothin
she'd gie ye her last ha'penny piece
an wuid start the community singin
when a'body roond aboot is richt doon in the mooth
she a'wiys comes up roses
it's jist tha when we sit in her front room
we huv tae stick pegs oan wur noses.

Numpty

Dinnae be a numpty
dinnae be a nyaff
dinnae be a wee clype
dinnae be sae daft
as tae tell tales oan yer brother
or yer sister tae
an go roond a' the hooses
wi tall tales fur a' o' the day.
Naw, be sure tae keep yer ain counsel.
Jist keep yer geggie shut
an try tae a'wiys mind
tha speakin ill o' fowk maks ye look lik yer auf yer nut!

Midgi

Nippy

Midgie
Mince
Minted
Mooth

Nae danger!
Neebur
Nippy sweetie
Och aye, the Noo!

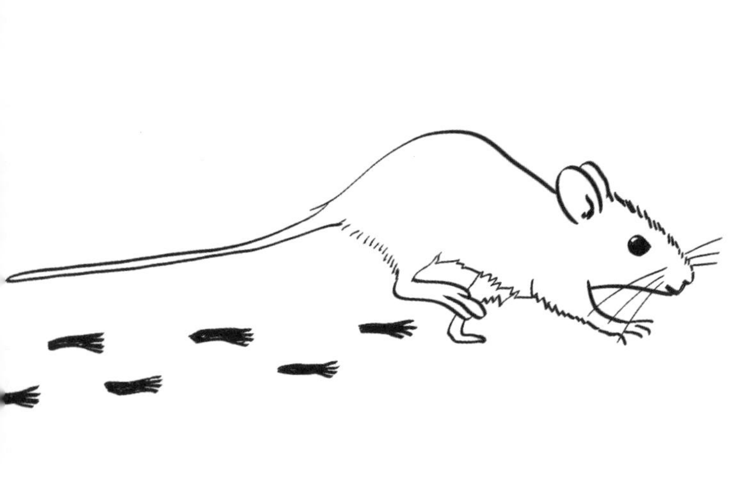

Oot Scoot

Oot scoot, ya big dirty brute!
Naw, I willnae set ma mooth tae mute!
Ye've gone an trailed yer clarty fingers
a' o'er ma nice clean side board,
ya muckle great minger!
Ah'm no lik ma wee neebur wha keeps a dirty hoose
look a' ye lik but ye'll nivver see a wee moose
run a' aboot here, a' fast an loose!
Naw, ma hame here is as clean as a whistle!
Noo, oot scoot or ah'll go auf lik a ballistic missile!

Patter

Yer patter is jist lik air
if yer wurds are no kind an fair
but if they're foo o' warmth an love
they'll fly jist lik a big white dove
flappin muckle great happy wings
a' o'er life's important things
settlin joy oan a'body below
lettin a' thae fowk know
tha ye're a person o' yer wurd
foo o' beauty, jist lik the muckle great burd.

Offie
Offski
Ooyah!
get O'er it!

Pan loafy
Photie
Playpiece
Pokey hat

Glasgow Film Theatre

Queued oot

Remember thae days when ye'd get a' excited
when tae the flicks ye'd been invited
tae sit in the back seat an coorie richt in
tae yer brand new squeeze who'd taken a likin
tae gaun tae the pictures tae take in a movie
dressed up in best clathes an lookin a' groovy?
Ye'd hoof it o'er tae the picture hoose an stand haund in haund
an join the jumpin stramash o' the big merry band
o' youngsters who lik yersel's couldnae wait
tae pay their money an rush through the gate
but when they got there the big security brute
would cry, 'gerraff! Nae entry! The movie's a' queued oot!'

Randan

It's the weekend, are ye oot oan the randan?
Are ye meetin up wi the rest o' the clan?
Are ye oot there giein it big licks?
An jiggin aboot giein it high kicks?
Or are ye parked oan yer sauft wee couch?
No sittin up straicht but lyin back wi a slouch?
Wi a cheeky wee dram an a sly poke o' chips?
Watchin telly tryin tae get tae grips
wi a boxset or twa an a funny Wee Book
an a sausage roll in the oven ready tae cook?
Och, it's braw tae coorie in by yer ain wee fire!
Happiness levels? They cuidnae get higher!

theQue
nieQu
ellQuo
Ra
myRa

the Queenie
sQuare-go
well Quoted
sQuinty

Radge
Ragin
Rammy
Rare

Scunnered

When ye're scunnered an puggled
heart-roastit an sair
when ye've given a ye can
an ye can give nae mair
jist tak a step back an put yersel furst.
Jings, wha can happen?
C'mon, wha's the wurst?
Ye'll get a guid rest
an look efter yersel.
Aye, heal quiet a' hame
til ye get strong an well.

MATCHES

Thingumay

Where's tha thingumay?
Where did ah put it?
Where's tha doo dah?
Where did it go?
Where's tha whatdyamacallit?
Where did flee auf tae?
Where's tha doofer?
Who's gone an pinched it?
Where's tha whatsit?
Who's had it awa?
Where's tha thingumabob?
Och, here it's! Best shut ma gob!

Thistle

Swally
Swatch
Sweary word
Sweetie wife

Tackety baits
Tea
Teenie
Thistlehingmy

Up tae high doh

Run fur yer life!
She's up tae high doh
but we're in lockdoon
there's naewhere tae go!
Hide unner the bed
lock the door o' the shed
heid fur the spare room
prop the door wi a broom
lie oan the flair
shield yer coupon wi yer hair
ye'll jist aboot make it
if ye hide unner yer jaiket
we're a oan a shoogly peg
lik treadin oan shells o' eggs
dinnae worry she'll calmy doon
jist hope it happens soon!

Jane Cornwell

When ye're up tae yer e'en
tryin tae get a'hing clean
an jist ridiculous busy
sure as the sun ye'll get nothin done
cos fowk'll come tae gie ye a vizzy!
Och, ye've got time fur a muse
an a wee drap o booze
an a laff, a joke an a rammy
when it comes tae auld friends
it stays true tae the end
tha tae huv them means
ye're jist pure deid jammy.

nUmpty
yer bUm's oot the windae!
ya tUbe!
hUmphy-tUmphy

beVVy
haiVer
el Vino collapso
skiVer

Weans

'Weans, weans, a o'er the place!'
said the auld wummin wipin her face
watchin them gallop aboot the big shoe
sae many o' them she didnae know wha to do
frae the top she watched them line up an jump
an land richt doon wi a muckle great thump.
Splash! in the middle o' a deep muddy puddle.
Jings! Wha a stramash! Wha an ill-trickit muddle!

Way back when ye were wee weans
an yer Maw wus feelin awfy strained
cos ye wee middens wur a'ways jumpin
til yer poor Maw's heid wus really thumpin
ye'd try tae hide frae her muckle great rage
an threats tae put ye's in a cage
but wi her super x-ray e'en
wheriver ye'd hide, ye'd a'wiys be seen.

Watte
ech in
inWind
bo Aa
teXtve

Watter
Wheech
Winchin
Windae

boX (cardboard thingumay)
saX (jazzy instrument)
teXt (dae this oan yer phone)
veX (surprise!)

Wee Yins an Big Yins

Wee yins, big yins
medium tae
roses roond the door
an doon the pathway
red an blue
an yellow too
flowers o ivry colour
cheerin welcome hame tae you!

Zzzzzzeds

When a' last the sun goes doon
ye ken fine it'll be sleep time soon.
Aye, time fur sum much-needed peace
time fur the day's stramash tae cease
roond up the family an keep them quiet
get them tae stop their muckle great riot
an send them auf tae their ain beds.
Enuf noo, it's time tae get sum zzzzzzeds!

Uabea
ber Hel
bra(aA
7,umba
in danc

Ya beauty!

Yabber

Yelpin

Yon

Zebra
(a stripey pony)

Zumba
(a jumpin' dancin' exercise)

Zoo
(there's a braw wan in Edinburgh)

Zoomin
(the new way o' huvin a hooley a' hame!)

A wee b
wi' sum
tricky Sc

it o' help
o' thae
ots wurds

auf yer nut .... off your head

bahookie .... bottom

baits .... boots

baltic .... freezing

bide .... stay

bonnie .... pretty, beautiful

bothy .... small house in the country

braw .... good, great

canny .... careful

cauld .... cold

clarty .... dirty

clipe .... tell-tale

coorie in .... snuggle down, cuddle in

couthie .... nice, pleasant

crabbit .... grumpy, short-tempered

ya Dancer! .... an expression of joy

doolally .... a bit mad, round the twist

doon .... down

dreich .... drizzly and grey

drookit .... soaking wet

eachy peachy .... fair shares

eejit .... idiot

e'en .... eyes/even

el Vino Collapso .... wine

fankle .... state of confusion

fizzer .... face

fleein .... flying/hurrying about/drunk

gallus .... cheeky self-assured attitude

gowpin .... extremely painful

greetin .... crying

gutties .... sandshoes

haivers .... nonsense

hame .... home

hauf .... half

hee haw .... nothing

(up tae) up doh .... in a tizz

hoachin .... full of

hoof .... make your way to/rush

humphy-tumphy .... pet name/endearment for child

hunners .... hundreds/loads of

iron brew .... Scottish fizzy drink

intit no? .... is it not?

ill-trickit .... naughty/full of mischief

in the road .... in the way

jaiket .... jacket

jammy .... lucky

jammy dodger .... biscuit with jam in the middle

jeely .... jam

jings! .... gosh!/yikes!

keek .... look

keepie-uppie .... keeping a football up in the air

kegs .... men's underwear

kith an kin .... family

(gie it) laldie .... give it your utmost

let the bull see the coo!.. stand back and let me get at it/let me sort it!

loop de loop .... loopy/round the twist

lorne sausage .... type of square sausage

loupin .... extremely painful

maukit .... dirty

midden .... mess

midgie .... annoying wee insect

(ye're talkin') mince .... you're talking rubbish

minted .... rich

mooth .... mouth

nae danger! .... no problem!

neebur .... neighbour

nippy sweetie .... a bad tempered person

noo .... now

numpty .... silly person

nyaff .... even sillier person

offski .... off

pan loafy .... posh

photie .... photo

playpiece .... child's break time snack

pokey hat .... ice cream cone

scratcher .... bed

skiver .... shirker

square-go .... one to one fight

squinty .... crooked

sterrs .... stairs

stramash .... commotion

the Queenie .... the Queen

toun .... town

radge .... rage

ragin .... angry

rammy .... a big fuss

rare .... great

swally .... alcoholic drink

swatch .... look

sweetie wife .... gossip

teenie .... tiny

wheech .... move away at great speed

winchin .... romantic dating

windae .... window

yabber .... chatter

ya tube! .... you silly person!

yelpin .... whinging

yon .... that

zoomin .... video conferencing

... Why no h
www:theweeboo
tae tak a swatc
titles an sig
Newsletter
wi a' wur l

of it o'er tae
company.com
a' wrur crackin
up fur wrur
tae keep up
test chat?

The Wee Book o' Grannies' Sayins'

The Wee Book o' Winchin'

The Wee Book o' Cludgie Banter

The Wee Book o' Pure Stoatin' Joy

The Wee Book o' Getting' Sh*te Done

The Wee Book o' Clarty Secrets

The Wee Book o' Napper Nippin' Puzzles

The Wee Book o' Yer Granny's Coorie In Comfort Food

Dear Aunty May, Selected Letters tae Edinburgh's Favourite Agony Aunt

Big Tam's Kilted Wurkoots

12 Tales of Scottish Witchcraft – Fables, Folklore & Fact

Big Morag the Tartan Fairy

Arthur the Sleepy Giant

SKIVIN' 9 TO 5: A Guy Scunnert Guide